CU0094790i

LES **MONSIEUR MADAME**

et le grand voyage de Noël

LES **MONSIEUR MADAME**

et le grand voyage de Noël

Roger Hargreaves

Écrit et illustré par Adam Hargreaves

hachette
JEUNESSE

Monsieur Noël attendait Noël avec impatience.

Quoi de plus normal ! Il était monsieur Noël,
après tout !

Cependant, cette année, il était particulièrement
impatient car madame En Retard l'avait invité
à passer Noël chez elle.

Mais il avait encore tant de choses à faire avant de quitter le Pôle Nord.

Il dut nettoyer le traîneau du Père Noël.

Madame Noël lui demanda d'emballer
tous les cadeaux.

Et il rangea tous les outils des lutins.

Puis, monsieur Noël dut courir aux quatre coins du Pôle Nord pour trouver un cadeau à offrir à madame En Retard.

Il eut peur de rater son train.

Et pour cause : le contrôleur sifflait le départ du train quand monsieur Noël arriva à la gare.

Il courut sur le quai et sauta dans le dernier wagon.

« Ouf ! pensa-t-il. Je n'aimerais pas être en retard au repas de Noël de madame En Retard ! »

Cependant, devine qui conduisait le train ?
Monsieur Lent !

Et comme tu le sais (ou comme tu ne le sais peut-être pas), monsieur Lent faisait tout très lentement…
aussi lentement qu'un escargot.

Surtout quand il neigeait.

Monsieur Noël regarda à travers la fenêtre
et put même apercevoir un ours polaire
qui dépassait le train.

L'allure était tellement lente ! Il n'en revenait pas !

Si lente qu'il rata le premier bateau et dut attendre le second.

Enfin, le ferry fut en vue.

Il monta à bord et put poursuivre son voyage.

Cependant, devine qui était à la barre ?
Madame Indécise !

Et comme tu le sais (ou comme tu ne le sais peut-être pas), madame Indécise ne savait jamais quelle décision prendre.

Et cette fois, elle ne savait pas dans quelle direction aller.

Elle alla dans un sens… puis dans un autre… puis de nouveau dans l'autre sens.

Enfin, monsieur Noël atteignit la terre ferme !

À cause de la lenteur du train et de l'interminable traversée en bateau, monsieur Noël rata le premier bus et… le second bus aussi !

Il arriva tout juste à temps pour le troisième bus et grimpa enfin dedans.

« Ce Noël est totalement gâché ! » pensa-t-il.

Pauvre monsieur Noël ! Les ennuis n'étaient pas terminés car le bus creva un pneu. Et devine qui était le chauffeur du bus ? Monsieur Étourdi !

Et crois-tu que monsieur Étourdi avait une roue de secours ?

Eh bien, non. Il l'avait oubliée !

Monsieur Noël arriva enfin chez madame
En Retard avec… trois jours de retard !

Il avait raté Noël !

– Je suis désolé… commença-t-il quand elle lui ouvrit
la porte.

Mais il regarda derrière elle et remarqua que
le sapin n'était pas encore décoré et que la dinde
n'était pas encore au four.

– Que je suis bête ! dit-il.

Mais oui ! Madame En Retard fêtait toujours Noël
après Noël puisqu'elle était madame En Retard !

Monsieur Noël aida madame En Retard à décorer
le sapin, puis ils ouvrirent leurs cadeaux.

Monsieur Noël offrit un réveil à madame En Retard
et madame En Retard lui offrit… un œuf de Pâques !

C'était un peu tard pour Pâques mais toujours
aussi délicieux.

Ensemble, ils préparèrent la dinde, firent cuire les pommes de terre et firent un gâteau de Noël avec plein de crème dessus.

Enfin, ils se mirent à table pour déjeuner…
un déjeuner très tardif.

Il était minuit !

RÉUNIS VITE LA COLLECTION ENTIÈRE